92 TOR   3 0001 00001501 8

Pastor Ye's (Peter Torjeson) Family in China.

Franson Resource Center

叶牧师一家在中国

Pastor Ye's Family in China

（美） 马利亚 著

Kari Torjesen Malcolm

赵 斌 译

Allan

毕邦彦 审校

Burden-Bearer

团 结 出 版 社

叶永青于 1918 年来华前。

1923 年 1 月 17 日
叶永青与端正方在山西
岚县举行婚礼。

叶夫人在山西河曲家中学汉语。

保罗(1924年生于河曲)和他的中国伙伴孙贵虎在河曲。

保罗和马利亚(本书作者，生于1925年)
坐在架窝里，妈妈牵着缰绳。

叶永青一家人:爸爸、妈妈、保罗和马利亚。

叶家的3个孩子:保罗、马利亚和但以理。
但以理1928年生于挪威,4个月时来到中国。

保罗和他的朋友们在河曲教堂门口。

属基、马利亚和但以理在河曲家里的花园中。
属基1931年生于河曲。

1932年一次礼拜后妇女们在教堂门口合影。

妈妈左臂抱着属基，前右是马利亚，前左为但以理。

马利亚骑在一个独耳朵毛驴上，但以理和属基坐在两边，

他们走了许多天才到山西大同的铁路边。

但以理和他的伙伴张继荣
在河曲教堂门口。

一次礼拜后在教堂门口的合影，有"X"者是
张税务官，有"E"者是老传道人秦桂煊。

河曲的妇女和挪威同工雪素媛教士及姚诚一参加领导培训班。

老传道人秦桂煊和他的两位助手。

小周（周贵基）在河曲的婚礼

一九三七年在挪威的最后一张全家六人的合照，摄于再次返回中国的几周前。

1940 年 1 月 1 日叶永青牧师的送葬队伍。
他于 1939 年 12 月 14 日被日本飞机轰炸而死。

1956年叶妈妈带着
但以理重访挪威。

叶家的4个孩子和他们的配偶。

叶家的8个成员在属基的挪威家中团聚。

一九九〇年八月十日，叶永青在山西被追认为烈士，地方政府为他建立了一座大理石的纪念碑。叶永青的四个孩子侧立纪念碑旁，马利亚边上是她幼时伙伴老李（音），保罗边上是老杨（音）当年她与叶妈妈工作关系紧密，属基旁边是老全，过去常住叶家。

叶永青家族 16 位成员出席了叶永青纪念碑的揭幕仪式,他们从美国、挪威、印度尼西亚和乌干达来参加这一盛典。除了叶永青的孩子外,还有两个他们的配偶,6 个孙子孙女,两个孙辈的配偶,以及叶永青的两个重孙女。河曲的政府官员同他们合影,山西太原的张培英(音)大夫也出席了仪式。

叶永青的四个孩子。

在黄河滩上。但以理和他的儿子、女儿，以及马利亚的孙女们。

叶永青的孙子于1993年移居太原，建立了美国永青服务社。这是叶先生和河曲的梁先生合影。

马利亚的孙女在唯一未遭毁坏的墙前窗下留影，这间房子是在一九三九年遭日机轰炸的。

马利亚和老杨（音）以及她的孙子在河曲家中合影。

属基和老杨在河曲，摄于1990年。

叶永青牧师殉难时的同工聂思聪牧师，摄于一九九四年元月。

作者夫妇在本书审校者家中。

谨将此文献给我的父母,他们把毕生献给了中国!

——叶马利亚

目　录

第 一 章 来 到 中 国

　　我的父亲叶永青1910年在挪威第一次听到有关中国的课时就被深深地吸引住了。当时的挪威人并不了解中国。17岁的父亲和伙伴们走很远的路到附近的村子去听有关中国的故事。一位老人告诉他们,中国人还从未听到过耶稣基督的福音。父亲也想亲眼看看中国人的贫穷与苦难。

　　在讲座结束时,大家纷纷往一个篮子里放东西捐献给中国。我父亲倒空了他钱包里的所有东西,然后他还写了一张纸条放在篮子里,上面只有几个字:"还有我自己。"

　　在决定了为中国而献身之后,他的心里就只有一个目标:到中国去。首先他去美国深造学业,然后他找到了工作,在教堂里为美国人和挪威人做事。但他的追求仍然一如既往:"我必须尽快到中国去,那才是我的归宿。"

　　他在26岁时达到了这个目的,于1918年来到了中国。经过两年多的强化语言训练,他自愿来到了从未有过教会的河曲。1921年11月,他高兴地来到了河曲。我的母亲在经过两年的学习后也来到了这里。他们1923年1月在山西岚县结了婚。然后他们骑骡子走了6天才来到了河曲的新家。当地的教友们热烈地欢迎他们的到来。

在来中国之前，我母亲已经受了两年的护理培训。因为她知道中国是多么需要医药。走几天的路也找不到一个诊所，最近的大医院在太原附近，要走 10 天的路。所以当她开了自己的诊所后，许多病人从很远的地方赶来看病。

与此同时，我父亲开办了一所小学校，育德小学这是当地第一个教会学校。在饥荒的年代，成百上千饥寒交迫的人们来到教堂寻求帮助。他们围坐在院子里，分享着热气腾腾的饭菜。埃德加·斯诺曾估计约有 500 万到 1000 万人死于 1929 到 1931 年发生在中国西北部的大饥荒。当时在沿海地区和大城市里有许多受过高等教育的文明人过着优裕的生活，而内地的贫民却没有这种好运。我们的家和教堂就正是向着他们开放的。

我的父母懂得，人是物质和精神的组合体，这两方面都需要营养。我们的精神缺乏与上帝的沟通，而我们的肉体缺乏必要的食物。有的人到教堂来只要求食物和药品，有的人既要食物也要上帝，我的父母对他们一视同仁。他们的理想就是上帝的无条件的爱。我们不是在索取，而是在获得。我的父母是多么热爱河曲的人民啊！

第二章 4 个 孩 子

我的哥哥保罗(Baolo)1924年出生在河曲,给我的父母和他们的中国朋友们带来了极大的欢乐。我母亲在写给挪威的家信中说:"男女老少纷纷跑来看望我的儿子。"他对每个来看他的人都甜甜地微笑。在他两岁以前,我母亲就抱着他走遍了全城。她在信中写道:"每星期有3个上午我教来教堂学习的小姑娘们念书,另外3个上午我去拜访村里的妇女们。保罗跟我一起去,他很喜欢这种活动。在中国,妇女是不能单独抛头露面的,但我可以,因为我有我的儿子作护卫。"

我是叶家的第二个孩子,1925年出生在界河口。那个地方在岚县的山上,在山西的挪威人夏天都喜欢到那里去避暑,同时躲避夏天流行的瘟疫。在我满月的时候,一辆骡骡抬架窝子载着我们全家走了5天才回到了河曲的家。我的道名是马利亚。

我的头10年都是在河曲度过的,只有过一次回挪威去探亲。我记得当地的人第一次见到我们时管我们叫"洋鬼子",因为大多数人以前从来也没有见过外国人。但一旦他们了解了我们以后,大家就变得非常友好。我有许多中国伙伴,和他们在一起,我度过了幸福的童年时光。

3

我很喜欢中国饭，尤其是加辣椒的饭菜，比我们挪威只加盐的白水煮青菜好吃多了。所以每次在饭桌上我都假装不饿，然后趁我父母都忙着的时候，偷偷地溜进工人的厨房，狼吞虎咽地吃起火辣辣的中国饭，直辣得我"泪流满面"。

1928年，当我们回挪威探亲的时候，我的弟弟但以理(Dani)也来到了人间。我还清楚地记得回到河曲后，他一直戴着一顶漂亮的小帽，长长的帽檐遮挡着刺眼的阳光。那是一位河曲的裁缝做的。他经常把帽檐歪到一边。人们问他是谁做的帽子，他总是回答说："是木匠给我做的！"

我们叶家的第4个孩子属基1931年出生在河曲。我们的许多中国朋友都为我们高兴，因为我父母已经有了3个儿子和一个女儿。他们说这是"好福气"！很多年以后属基在中学里回忆他在河曲度过的童年时说："我记得我童年时代在中国北部长城脚下的家。那是用泥砖和草秆搭的。在院子里，我们种了好多美丽的鲜花；还有两面旗子，一面是中国的国旗，另一面是挪威的国旗。在院子外面我们种了西红柿。我们还养了五六只小羊和小鸡。我记得我的大姐姐总是特别关心我。每次我要挨打时，她都为我难过，有时甚至替我挨打。有时我哇哇大哭，特别需要安慰，她就会把平时积攒下来的糖果给我吃，我就破涕为笑了。我还记得一位中国妇女王大嫂，她是来我家帮忙照看我们的。她对我们照顾得无微不至，还经常讲一些动人的仙女的故事给我们听。"

第三章 幸福家庭

我们4个孩子每天早晨都喜欢爬到我母亲的床上去。我父亲每天都要做晨祷,所以他5点钟就起床走了。我们4个孩子总是争抢着更靠近母亲。我父亲是从其他方面给予我们父爱的,他喜欢给我们说笑话。冬天时,每当他长途跋涉,步行或骑骡子从远处赶回家里,他常常会感冒。这时我母亲就会体贴地照看他服药。但他却宁愿用中医的偏方,用开水冲服以辣椒、姜粉和蒜末做成的药。然后,他并不上床休息,而是去跑步发汗。"你一躺下,寒气就会钻进你的身体。"他经常这样告诉我们。如果还流鼻涕,他就会用一个大床单去揩,夸张地说,他的手帕太小了,对付这么严重的感冒不够用。这常常逗得我们这些小孩子捧腹大笑。

在河曲,由于没有公路,所以不适于开车,而我父亲却连自行车也不愿意骑。他说,如果骑车就会错过机会和那些想跟他聊天的人说话。所以如果路不太远,他就总是步行。有一天,一个人走过来跟他搭话。我父亲以为他是对耶稣发生了兴趣,因为他说话时越贴越近。最后我父亲问他是不是有什么问题,"是的,"他说:"您买这副漂亮的墨镜花了多少钱?"

我父亲喜欢给我们讲这类故事。因为这可以使我们在这片贫困的地方了解到生活的有趣的一面。有一次他告诉我们，在市场上没有人会听他传道。所以他第一次去市场时就买了一些花生和一碗茶，然后边吃边和身边的人聊起来。不一会儿，他身边的人就变得越来越多，而他也把声音放大，让每个人都能听到。但再过一会儿，那些小贩就会趁机兜售东西。这时我父亲突然喊道："你们知道吗？我家有8个儿子，我们现在还都活着。"这样他就吸引了所有人的注意力。因为8个孩子都能活着在贫穷的当地人听来是一种难得的福气。后来，每当有基督徒在市场上跟人说话，人们就会过来问他："你们那位家里有8个弟兄的人呢？"

　　我父亲非常为我母亲的诊所自豪，因为人们常常从很远的地方走几天的路程来看病，而离我们最近的大医院有10天的路。可我父亲有时也和母亲开玩笑。因为有一天，母亲有了一个竞争对手。有个人跑到太原，买了一些药品回到河曲，做起了药材生意。他还在太原请人教给他怎么写英文"我是大夫"。但是他回到河曲后，把这些单词搞混了，所以他的招牌写成了"我是大夫吗"，直到很多年以后，那仍然是河曲唯一的英文招牌。

　　河曲是个充满了欢笑和友情的福地。逢年过节，很多人都来邀请我们去家里做客。我们在河曲的老百姓家里都受到了欢迎。

第 四 章 1939:巨 变 之 年

　　然而当日本人于1937年侵入中国以后,一切都发生了变化。山西是几个受创最深重的省份之一。由于河曲是通往内蒙古的大门,于是便成了炸弹集中轰炸的地方,大大超出了这个只有1万人口的城市的承受力。河曲也是个重要的战略要地,黄河在这里把山西与它西边的陕西分离开来,长城则把山西与其北面的内蒙古分离开来。

　　由于当时既没有战争灾难救援会,也没有红十字会或野战医院,我母亲的诊所里住满了伤兵(包括共产党的和国民党的),以及受了伤的平民。同时,狂轰滥炸使许多家庭流离失所,无家可归,于是这些人也纷纷来到教堂栖身,有时多达1000到2000人,挤在我家和教堂里,以及任何可以找到的地方过夜。

　　战争初期,由于挪威是一个中立国,日本人答应不来轰炸。他们要求我们在院里挂出挪威国旗,这样日本飞机从空中就可以看到。然而后来,有人报告日本人说我的父母在帮助中国军人和平民抗击侵略者,一切就都改变了。我们变成了他们的敌人。

　　在同年里,日本人改变了对从挪威来的叶家人的态度,我们自己也有了一些变化。我们几个孩子的早期教育是在河曲的家里进行的,父母就是我们的老师。但在我们第二次回挪威探亲之后,我们于1937年返回中国,就在日本人入侵中国后不久,我们转到了位于湖南益阳的桃花坪的一所挪威人的学校读书。

但是在1939年,随着抗日战争的逐步升级,所有的挪威妇女都带着她们的孩子离开了中国,返回挪威。由于只剩下了叶家的4个孩子,学校也关闭了。这迫使我们又转到了山东烟台的英国人的学校。这给我们增加了不少困难,因为我们只会讲汉语和挪威话。我们只和父母一起过了一个暑假,他们就离开了烟台,于1939年9月回到了河曲的家。

他们先坐船到达天津,然后乘火车到山西的宁武县,最后又骑驴走了4天才回到了河曲,因为所有的骡子都被战争征用了。他们发现河曲的街道萧条而冷清,所有的大铺子都关门大吉了。很多人都远走内蒙古,因为那里较少战争。人们日日夜夜提防着空中的死亡大鸟扔下的致命的炸"蛋"。

河曲人民看到我父母回到河曲与他们同甘苦、共患难,都感到欢欣鼓舞。教堂里又增添了许多新教友,大家全都赶来欢迎我父母的归来。从此,教堂又成了人们聚会的中心,躲避炸弹的防空洞,以及疗伤治病的医院。这里也成了所有在残酷的日本侵略战争中受到摧残的人的仁爱圣地。

第 五 章 1939 年 12 月 14 日，
难忘的日子

　　我的父母此时还不知道由于他们帮助了河曲的中国人，包括平民和军人，日本人已经改变了对他们的态度。于是在 12 月 14 日这一天，他们照例在院里挂出了挪威国旗，好让日本飞机能从空中看到。自1937 年战争爆发，日本人就已"指示"所有来自中立国的传教士这样做。

　　那天，空中飞来了 34 架飞机，我的父母听到了这些钢铁大鸟的轰鸣。我父亲跑到院子里，抬头仰望天空，然后飞快地跑回屋内告诉我母亲，他们已经来不及跑到只在一个路口以外的教堂的防空洞去了。

　　"我们得待在这里，赶快钻到床下去！"他告诉我母亲。日本人显然是有预谋而来的，他们利用了日本特有的俯冲式轰炸，目标正是我家和教堂。我父亲还没来得及完全躲入床下，而我母亲则刚刚弯下腰，便传来了第一颗炸弹的爆炸声。

　　那一声尖利刺耳的声音破空而来，这是他们从未听到过的。震耳欲聋的爆炸把他们包围了。危机前后只持续了几分钟。我母亲被巨大的声浪震倒，浓烟刺得她睁不开眼。然而她随即意识到土墙已经坍倒在她亲爱的丈夫身上。由于我母亲身体瘦小，因此她被爆炸产生的冲击波很容易地掀起，然后抛到一堆碎石、碎玻璃和碎木块上。在这一瞬间，她听到了我父亲在被埋进倒塌的房屋前发出的一声撕肝裂肺的喊叫。母亲从废墟上站起身的时候四周都在燃烧，她孤独地站在那里，茫然四顾，不知所措，她的中国朋友们大多已躲进了防空洞。只有5位妇女和她在一起，她们都裹过小脚，而且她们中已有4个人年过七十。

多亏了上帝的仁慈我母亲才得救。她感到四周的空气沉重而昏暗，充满了受伤者的呻吟。这时她的中国朋友们纷纷从教堂里跑出来帮助她，他们用了半个多小时才从乱石堆里挖出了他们深爱的牧师。老全告诉我们，父亲是被房梁击中的，房梁正好掉在我父亲藏身的床上。由于墙是用泥砖垒的，所以很容易倒塌。老全还记得当他们把叶牧师从废墟里挖出来时，我母亲在一边不停地说："小心他的头！"然而他已经停止了呼吸。他的头受了严重的创伤。

第六章 亡 夫 之 痛

作为一个护士,我母亲决心不惜一切尽其所能来挽救她的丈夫,他们甚至连人工呼吸都试过了,然而这一切都是徒劳的。终于,母亲不得不强迫自己承认,他已经去了。母亲开始在已经变成了废墟的家里寻找可用的东西来为他洗身,并且准备为他举行葬礼。外面不断传来受伤者痛苦的呻吟,我母亲只得暗自庆幸我父亲能无伤无痛地仙逝。

4天后,我母亲在写给挪威的一封家信中说:"直到午夜时分,他才被装裹停当,静静地躺在那里。他看上去漂亮而安祥——甚至有一丝微笑显现在他的脸上。我们忠实的同工老聂和老王自始至终在帮助我。这时他们才坐下来,暗暗垂泪。就这样我们坐了很久很久。我们已经忘却了一切,只是相对流泪。

"他们似乎还不能相信这个事实,不相信彼得会就这样永远地倒了下去。他们说,他是为他们而死的。不论是帮工还是在教堂里的人们都是热泪盈眶。由此我愈加坚信,河曲的人们与这位外国朋友,这位传教士的联系已有多么密切,他们是多么敬爱他啊!"

由于在后来的日子里河曲仍然不断地遭到轰炸,我母亲和其他挪威女教士找到了一处接盖在长城上的房屋并把它租了下来。这下她们就有了最坚固的防空洞。这样，白天她们就在城边的较少炸弹的地方度过，夜晚才返回城里的家。教堂里的人都劝母亲为了我们4个远在山东烟台的孩子也要注意安全。

就在他们寻找一块墓地的时候，轰炸仍在不停地进行。12月14日这一天，日本人在这里投下了250到300颗炸弹，而在后来的日子里，平均每天有60颗炸弹落到河曲。

母亲翻山涉水，四处寻找墓地。然而她发现没有人愿意卖给她一块墓地，因为在大约50年前的中国，坟茔不仅是一块掩埋尸体的地方，也是死者的灵魂享受礼拜的地方。按照当地的风俗，生者每年两次带着食物和水酒来到祖辈的墓地。他们认为祖先的灵魂会来享用子孙的供祭。还要烧一些纸钱、纸衣、纸屋和轿椅给死者在阴间使用。出于担心一个外国人会惊散祖先的魂灵，所以人们不敢把我父亲葬在自己的祖坟地里。最后，还是一位基督徒在他的农田里划出了一片美丽的土地。我父亲于1940年1月安葬在那里。

第七章 天国的葬礼

在葬礼进行以前,我母亲写信给挪威的家人,诉说了人们对我父亲的死的反应:"上帝以强有力的方式告诉这个城市里的人们发生了什么事。如果上帝能够看到如此巨大的牺牲唤醒了人们去接受来自十字架的福音——这正是彼得所终生为之奋斗的目标——那么我们全家依然乐于为主做出这种奉献。"

正当准备进行葬礼的时候,我父亲的好朋友,挪威牧师霍砐(霍砐牧师已于1993年6月16日在故土蒙召归天,享年91岁)骑驴走了4天,从兴县赶到这里。他记述道:"我在河曲看到的是怎样的景象啊!一排排房屋倒在废墟里,到处都是在可怕的轰炸后还没来得及掩埋的尸体。从那个瓦砾堆上依稀可以辨认出那曾经是彼得的家园。一些虔诚的年轻信徒正在紧张地做着葬礼的准备工作。由于教堂只剩下了残垣断壁,只好搭起了一顶大帐篷。帐篷内外都装饰得很漂亮,灵巧的手把爱的怀念扎进了圣洁的纸花,地方上也送来了写有各种悼词的旗幡。追悼大会是12月31日举行的,成百上千的人赶来参加,帐篷内外都站得密密麻麻。"

在帐篷的入口处,高悬着一幅绸制的灵幡,上面写着

13

"他为拯救世人而奉献了自己"。在帐篷中间停放着一口灵柩。教友和朋友们致送给我父亲的挽联、挽帐都是白色的,只有一位德国的天主教神甫带来的是黑色的绸幡。很多人站在那里默念着献给我父亲的悼词。只有那位神甫说出声来:"他为了他的朋友们而献身,人间的爱莫大于此!"这是基督的语录。

为了避开轰炸,葬礼是从第二天凌晨开始的,这已经是 1940 年 1 月 1 日了,我母亲曾记述了葬礼前夜的情景:"整个夜晚,那些年轻人都在守灵。他们围坐在帐篷前的一堆篝火旁,唱着对上帝的荣耀的赞美歌,每个人都在歌中倾注了对救世主的感激。这足以说明了基督徒的与众不同,我们有上帝给予我们最后的慰藉,我们没有绝望者的痛苦。"

"第二天清晨,人们很早就来了。很多妇女根本就没有回家,而是在这里坐了个通宵。经过约 45 分钟的准备,我们迎来了新年第一个黎明。在这个名叫水草谷的吉祥的地方,我们亲爱的丈夫和父亲就这样永远地安息在中国的黄土地上了。"

第 八 章 生 命 的 追 忆

霍砍牧师在寄往挪威的信中更详细地谈到了葬礼。他写道:"无论在帐篷中的礼拜上,还是在遗体安葬仪式上,都笼罩着一片惊人的寂静。没有更多的话要说了,我们的心已经被充满了。18个身强力壮的信徒抬着他们的牧师走向他最后的安息地。很多人打着灵幡挽联走在灵柩的前面。其中一面挽帐上写着:'优秀的领路人为我们而死了'。一大群送葬的亲友走在棺材的后面。坟茔离城有4里多地。"

我母亲的女同事也写信给挪威的家人:"我的朋友和同事叶兄弟经常谈到十字架。在街上,在教堂里,在去村子的路上,他都希望能有十字架带来光明。此刻我觉得十字架正在灵柩上对我诉说着什么。红色的十字架装饰着各色各样的纸花竖立在灵柩上,朝阳使它显得更加鲜艳。"

"在生活在河曲的20年里,叶兄弟走遍了这里的山山水水。他的中国朋友们也经常称赞他很能吃苦。他从不吝惜自己而把十字架的福音传播到每一个偏远的或被人遗忘的村庄。他的愿望就是'让十字架插遍每一个耶稣曾经到过的地方'。正是上帝给了他的妻子和孩子们力量,使他们能够经受与丈夫和父亲离别的考验。孩子们在最后一封从山东烟台写来的信中写道：'我们为了耶稣而分离。'"

这就是为什么孩子们送的挽联上写着："为了你所给予我们的一切——向亲爱的父亲致以最后的敬意。"然后用大字印刷体写着："一切为了耶稣！"

我的父亲并没有给我们遗留下钱和土地，他甚至终生没能拥有一所自己的房产，但是他却留给了我们千金难买的东西，是他使我们懂得了什么是"无条件的爱"。上帝首先为我们竖立了楷模，他非常热爱我们，为了我们的原罪而让耶稣钉死在十字架上。我父亲教导我们要以接受这份宝贵的礼物来报答上帝的爱，我们用爱来报答上帝。上帝帮助我们去爱身边所有的人——富人和穷人，好人或坏人，乃至一切国家和一切宗教中的人。

我们将永远不会忘记他的榜样！他是那么热爱河曲的人民，以至于不惜与之共存亡。正因为我的父亲留在了那里，那里的人民知道他为此付出了多么大的代价！这时人民才开始懂得什么是无条件的爱，既有我父亲那种与人民生死与共的爱，也有上帝派耶稣来到人间，在十字架上为所有的人——包括河曲的平民百姓们——而献身的爱！

第九章 劫后余生

　　我们叶家四兄妹当时正在山东的烟台上学,12月23日收到家里的电报才得知我们亲爱的父亲已于12月14日去世了。最初我们觉得生活的根本动摇了。一位我最喜欢的老师后来告诉我:"你看上去好像所有的快乐都离开了你的心。"然而我们自始至终都对我们的主——仁慈的上帝怀着孩提式的赤诚,相信他会照顾我们这些失去了父亲的孩子。我们对上帝的忠诚一天也没有动摇过,我们有幸作为孩子,对生活无忧无虑,也不必去做上帝要求成人们去做的事。因此,耶稣说过:"除非你变成了一个小孩子,否则你将不可能进入天国的幼儿园。"

　　自然,我们需要尽快见到我们的母亲,我们也为她在河曲的安全而担心,我们已经失去了一位至亲,我们绝不能再失去另一个。但是我母亲写信来给我们解释说她还要为河曲的人民负责,她说她不能离开那些"失去了领路人,无家可归的教友"。

　　到了1940年5月,教堂的事才开始稍有起色。教友们出于自己的意愿,集资买了一块新地兴建教堂。母亲告诉我们:"那曾经是他们的'家'的教堂和礼拜是被摧毁过,那也曾经是他们的上帝的家,但是这些教友们还在,这是那些空中的死亡之鸟所消灭不了的。修建教堂的钱很快就集中起来了,这样的愿望是以前在河曲从来没有过的。刚到 5 月份,合同就签定了,这对我们所有的人都是终生难忘的一天,我们又有了礼拜堂、学校、小礼堂和供男人、女人分别使用的接待室。"

在河曲大轰炸之后,一些人告诉基督徒们说:"现在,你们的教堂成了废墟,你们的牧师也已亡故,基督教会在河曲恐怕要完了。"他们说这种话并非嘲讽,而是带有宿命的意味,认为教会在河曲的好日子已经结束了。

"不,不是这样,"两位身为当地商界领袖的基督徒回答,"我们依然存在,我们就是教堂。"他们懂得宗教既不是一座建筑也不是一个牧师,而是"为了上帝的荣耀而结合在一起的活生生的纪念碑。"正是这些人代表河曲所有的教友给我们 4 个孩子写了一封令人难忘的信:

　　亲爱的孩子们,请接受我们由衷的致意和诚挚的情感,你们失去了至亲无尚的父亲,而我们永远与你们在一起。我们愿意分担你们深藏心底的悲哀和痛苦,尽管我们无法减轻你们的哀痛,但我们能帮助你们向天父祈祷。我们相信你们将因此得到慰藉,获得力量,肩负着我们的苦难的上帝会来安慰你们的。

第 十 章 母亲与八路军

在山东烟台,我们 4 个孩子听说母亲有了一个安靠在长城上的安身之地都感到欣慰,这给了我们一种安全感。我 8 岁的小弟弟写信给母亲说:"我希望新房子能非常漂亮……我很高兴炸弹炸不到它……你亲爱的孩子属基。"

很多八路军也来到母亲的藏身之地看望她,表达他们对她的丈夫为了中国而献身的感激和同情。他们也问到了基督教。母亲给他们看有我父亲和我们 4 个孩子的照片,他们个个眼含热泪,有人说,在此之前,他们只知道人们会为共产主义而死,现在他们亲眼看到了以前认为是不可思议的事。他们很高兴看到我的父母如此热爱中国,也亲眼看到了耶稣无条件的爱。

1940 年 4 月,我们又受到了另一个打击:德国人侵入了我们的祖国挪威。我母亲记述道:"我刚刚失去了一切依靠,现在看来连我亲爱的挪威也保不住了。但是请记住,在地球上我们只不过是匆匆的过客,天国才是我们的故园。"

这时我母亲万分高兴地收到了一封著名共产党人贺龙将军的亲笔信,信中表示了他对挪威被德国侵略者占领的同情。这次与贺龙将军的联络比原来想象的简单,日本人持续不断的轰炸打破了乡村警察与城市私人武装之间的联系,贺龙将军的队伍就在这片真空地带与国民党军队联合抗击日本鬼子。

我母亲写信给挪威的朋友,告诉了他们有关这些共产党朋友的事:

> 我和他们相处得很融洽,有时他们表现得非常亲切和友好。当他们看到我丈夫的照片时,他们称赞他是为了这块土地而献身的,这时我几乎可以感觉到上帝的仁爱显现在他们身上。然后他们又看了孩子们的照片,他们认为有 3 个儿子和 1 个女儿非常幸运。他们显得非常友好,而且一再表示他们还会再来。他们中有一些人后来不断地来参加我们的聚会。

到了 1940 年 5 月,我母亲才对她的朋友们在河曲的状况放了心,这时她感到该去山东烟台看望她的孩子们了。可是从河曲到海边要走很远的路,首先她得向西北方走 8 天,经过鄂尔多斯沙漠到内蒙古的包头,然后再乘火车和船向东北去山东。80 岁的孙爷爷自告奋勇作她的旅伴,他告诉母亲:"我已经活得够本了,在我死之前我要为上帝再做一件事,就是帮助你去寻找你的孩子们。就算我再也回不了河曲,那我也认了。"

第十一章　相聚在山东

当 8 岁的属基听说母亲将要进行的危险旅行时,他就从烟台给母亲写了一封信:"亲爱的妈妈,我预祝您一路平安,碰不上拦路抢劫的强盗。上帝将与您同行,所以您一定不会吃亏。"直到母亲抵达了烟台之后,我们才听说了她一路上遇到的风险。每一次危险的遭遇发生在她渡过黄河,从中国守军的一方来到日本人驻防的一方的时候。那里盗贼出没,行人无不闻风丧胆。在一次遭遇中突然有一位高级中国军官从马上向我母亲亲切地打招呼:"您还记得我吗?我上过您教的礼拜天学习班!"上帝保佑!这个人小时候去过河曲的教堂,他保护着母亲通过了危险区,在河边,很多人在等待渡河,但是母亲和老孙没有日本人发的通行证。这时人群中又忽然有人给了他们一份通行证,这样大家才高兴地看着他俩通过了黄河渡口。

在通过鄂尔多斯沙漠时,大多数人以前都从来没有见到过外国人,所以大家全都好奇地看着母亲——一个瘦小的白种女人坐在大车上,赶车的是一身古旧装扮的老孙。第二天夜里他们来到一家旅店,那天早晨刚有 3 个客人被杀死在客房里。第三天他们遇到了一伙散兵游勇,用枪驱赶着他们赶路,然而他们竟奇迹般地毫发无损。第四天夜里他们来到一家蒙古人开的毡房客栈,这里的客人五花八门,仅在他们住的大通铺房间里就有30多个鸦片烟鬼。"孙爷爷不住地默默祈祷,"母亲后来写道,"如果不是上帝有眼,后果简直不堪设想。"

当我们4个人到烟台码头去接母亲的时候,全都禁不住欢呼雀跃起来。母亲是从天津的溏沽坐船来的。船刚一靠上码头,我们立刻就看见了母亲微笑着站在甲板上。在她快步向我们走近的时候,我猛然发现,自从上次她离开我们,仅仅10个月的时间里,她的头发已经从金黄变成了灰白,这就像有一把尖刀刺入了我的胸膛!她一走下踏板,我们大家就全都痛苦地发现她那样快地衰老了。我们立刻围了上去,七嘴八舌地问长问短起来。

我们劫后余生的家人团聚在一起,兴高采烈地度过了暑假。我们用了很多时间谈着分手后所发生的一切。我们在烟台秀丽的海滨游泳,大海离我们的家近在咫尺。可惜3个月转眼就过去了,学校又要开学了,母亲决定返回她心爱的河曲。但她刚到北京就发现日本人根本不给来自同盟国的外国人通行证以便去山西的任何地方。那年秋天她就一直滞留在北京,希望能等到通往河曲的大门敞开,然而一切途径都无济于事,于是她只好在圣诞节以前又回到了我们的身边。

在烟台,她积极地帮助"内地会"工作。1941年12月8日,日本人把所有来自同盟国的外国人统统软禁起来,我母亲却显出与众不同的高兴,因为无论如何她可以和孩子们在一起了。1942 年 11 月,我们又全都被囚入了监狱,头 10 个月在烟台,后来转到山东潍坊的维新,一直到1945 年 8 月的战争结束。

第十二章　何 日 回 故 乡

战争虽然结束了,但我们却仍旧被迫待在监狱里,直到攻占了监狱的盟军能够把我们各自遣送回国。所有的1500名囚犯都疑窦丛生,我们问那些军人谁会来接管我们,我们也问来探望我们的中国朋友,在我们被遣送回故国之前能不能先回河曲。来自各方面的回答都是"不行"或"不知道",他们解释说日本人离开后,解放军和蒋介石的军队之间的内战就又要开始了。就这样,我们连河曲的家都没能回去看一下,就怀着深深的哀痛,于1945年底离开了中国。

到了1948年,保罗带着他的妻子和儿子激动万分地回到了中国。可惜战争又一次使他们返回河曲探家的美梦化为泡影。保罗的目的是能渡过黄河到内蒙古去,因为那里的蒙族百姓们还从未听说过耶稣基督。我父亲生前有一个愿望,就是一旦河曲的教会成熟自立了,他就搬到内蒙古去,然而他却壮志未酬身先死。保罗挺身继承了父辈的遗志,他走遍了宁夏、青海和甘肃西北部,访问了许多蒙古族的聚居地。他们全家住在兰州,并在那里学会了蒙语。

然而由于当时的西北军总部给他们规定了很多限

制,解放军又迅速地逼近,战争迫在眉睫,他们只好于1949年8月离开了内地,远赴香港。谁能想到,在离开中国之前,他们却又不得不在中国的黄土地上添加了一座叶家的坟茔,他们的小儿子大卫出生在兰州,由于急病不治,于3个月后死去。和他的爷爷一样,也被安葬在中国。

保罗和他的妻子继续在台湾向中国人(汉人和蒙古族人)传道,直到1970年。当时台湾的土著阿美族人没有翻译成他们自己语言的圣经,保罗同时也是一位语言学家,他承担了这个任务,加上别人的合作,现在阿美人终于有了他自己的圣经。1952年,我母亲也来到台湾和保罗一家住在一起,在看到所有的外国人都离开了中国之后,她也不得不放弃了重返河曲的梦想。然而在台湾,她至少还能和从大陆来的中国人住在一起。在那里,她成了许多原籍在大陆的人的母亲,和他们一样,她也深深地怀念着中国。那里,每个人都是远离故乡的游子,他们都能理解她对她的中国的家——河曲的爱。作为她的女儿,我陪伴母亲来到台湾,在台湾大学外国文学系里担任教授。我曾经幻想在大陆教书,但既然那只是痴人说梦,我也只好退而求其次——在台湾与从大陆来的人生活在一起。那些从大陆逃出来的士兵在台湾这块陌生的土地上感到深深的失落,他们最需要得到上帝的无条件的爱,很多人从上帝的福音里获得了莫大的安慰。那几年,对我们来自大陆的叶家人来说是幸福而有意义的,然而我们全家人却一刻也没有放弃过重返我们在中国河曲的家的梦想。

第十三章 命 运 之 门

许多年过去了,我们只能望海兴叹,再没有来自大陆的学生或军人能告诉我们中国的情况了,我们与河曲已断绝音信达数十年之久了,我感到我的生命里失落了什么东西,我们叶家的"根"被砍断了!我再也见不到那些曾疼我、爱我,给过我无限欢乐的中国朋友了,我再也见不到我生命的摇篮了!

终于,"文化大革命"结束了,"四人帮"被逮捕了,邓小平复出了,中国的大门又一次缓慢地,然而坚决地打开了。渐渐地,我们开始与来自中国的学生接触,他们都是来美国深造的,只要我一看见这些学生,我就向他们询问有没有听说过在山西和内蒙古交界处的河曲。令我极度失望的是,竟然没有一个人听说过这个地方!他们随后告诉我有些城市是开放的,有些是不对外的。我在中国大使馆里又亲眼见到了标有这些城市的地图,这意味着打听一个不开放的城市根本就是徒劳无功的。

到了 1987 年,奇迹发生了!一位来自山西太原的儿科医生张大夫来到这里看望她在明尼苏达大学读博士学位的儿子。她的儿子同时在离校园不远的教堂里向一位热爱中国的基督徒教师学习英语。这位教师在见到张医生后,决定把她介绍给一位美国医生,并且邀请了一些朋友在她家里开晚会。她出于两个原因邀请了我的弟妹:第一,我的弟妹也是一位儿科医生,是张医生的同行;第二,这位教师想起来,我的弟弟也来自山西,和张医生来自同一个省。正是山西这个地方使我们接上了头。

我弟弟第一次见到张医生时,照例不抱希望地问起了那个千篇一律的问题:"你听说过河曲吗?"令他大吃一惊的是,张医生回答说:"是的,我不仅听说过河曲,它还是我所负责的医疗管区呢。"我弟弟立刻迫不及待地拨通了我的电话。他说,天大的喜讯! 我见到了一位知道河曲的人! 这样,我也激动万分地见到了张医生。

张医生立刻答应帮助我们到河曲寻根。"你们不是旅游者,"她强调说,"我要告诉省政府不要把你们看作旅游者,他们会知道,你们是河曲的儿子和女儿,你们要回家!"

仅在张医生答应帮助我们的一年以后,我的丈夫和我就来到了太原,张医生和她的丈夫钱医生陪伴我们度过了1988年的中国农历春节。张医生已经办妥了我们"回家"的手续,并且亲自护送我们回到了阔别40年的河曲。但以理的妻子应邀参加了一个1988年6月在山西召开的医学会议,他们也回到了久别的河曲,住了整整一个夏天。对但以理和我来说,这真是一次难忘的探家! 重归河曲,我的整个身心都充满了故乡的温馨!

第十四章 故乡之恋

更为惊奇的是，我们在河曲还见到了童年时的伙伴，当我们应邀出席由河曲县政府举办的欢迎晚宴的时候，县长从我的影集里的一张旧照片上认出了他的父亲，这令他又惊又喜。他的父亲，就是当年和我们生活在一起的老全。他也立刻被请来了，一进门就兴高采烈地喊着："马利亚来了！"

随后，老叔也来了。他的侄子李桂英是我童年时的伙伴。接着，镇上所有记得我们家人的人都来了，邀请我们去吃饭，使我们感到从来就没离开过这里。我们还见到了郝琳医生，她还记得很多我家的往事。她现在是县总医院的院长。县医院就在我们住的旅店的旁边，那是一座相当漂亮的建筑。今天的河曲已经今非昔比了！这些巨大的变化给我们留下了深刻的印象。过去我们得骑骡子走8到10天才能到太原，而这次我们的汽车行驶在柏油马路上，从省府沿着黄河只走了8个小时就到了河曲。

看到人们都住在整洁的砖瓦房里真令我们高兴。在我的童年时代，那些低矮的土房一到雨季就四分五裂。孩子们都长得白白胖胖，一看就知道身体健康，营养充足。在河曲再也看不到面有菜色的饥民了，女孩子也能跟男孩子一样受教育了。旧地重游,我们见到的却是一个崭新的河曲。老全带着我们去看我们的旧居,换句话说,是看当年轰炸后的遗迹。在当年的废墟上后来又盖起了新房,主人极其恭敬地迎接了我们。

老全和很多上了年纪的人还带着我们去瞻仰了我父亲的墓地,他们还都清楚地记得他。我们可以体会到这片墓地对他们意味着什么,它在无声地诉说着我父亲当年是如何选择了这块黄土地,深深地扎下根来,与这里的人民同甘共苦,他们相依为命地度过了战争最黑暗的年代。尽管现在他的墓碑已经被移走了,但是几乎每一个人都能准确无误地说出墓地的位置,多少年的风风雨雨,它一直在倾诉着我父亲对河曲人民无条件的爱,什么也堵不住这片墓地的嘴!

当但以理和他的妻子于 6 月到河曲的时候,河曲县的领导向他们发出邀请,邀请我们整个家族在 1990 年到河曲来参加我父亲的纪念碑的揭幕式。我们全家人又一次怀着急切的心情盼望着重返河曲。我们 4 个在河曲长大的人当然不必说:保罗、马利亚、但以理和属基,就连我们的妻子、丈夫,甚至子孙都在等待。如今,我们叶家的16 口人就要回家了!

还记得《圣经》是怎么说的吗?

> 上帝只保佑信赖他的人……
> 他就像一棵水中的大树,
> 向四面八方伸展他的根。

何惧严寒酷暑的来临，
你看他永远枝叶常青。
何惧风霜雪雨的欺凌，
你看他永远果实盈盈。

(耶 17：7-8)

第十五章　1990:复 活 之 年

　　对于叶家人来说,1990 年将作为复活之年和盛典之年永存心底,当年叶永青的生于长于河曲的 4 个孩子于50 年后的今天联袂重返故园。他们和他们的儿孙们组成了浩浩荡荡的 16 人叶家探亲团,他们中的 12 人是叶永青的直系后裔,另外 4 个人是与叶家子孙结婚的配偶。

　　《圣经》上把每个第 50 年称为"复活之年",这时"你们每一个人都要回到自己的家";"在复活之年,每个人都应该返回他的故乡。"而对我们叶家子孙来说,这就意味着重返河曲的家园。在这复活之年,河曲市主管官员和山西省副省长都向我们发出了友谊的召唤。山西省政府正式邀请我们重返河曲参加我父亲叶永青纪念碑的落成与揭幕典礼,我们的父亲 50 年前惨死于日本飞机的轰炸。

　　在河曲我们受到来自老一代和年青一代的双重热烈欢迎,这无时无刻不在告诉我们,尽管叶家人已 50 年未履故土,但他们从来没有被遗忘,父亲叶永青虽已安息在河曲的大地,他精神的绿叶却依然在他朋友们的记忆中常青。一些年轻人告诉我们,叶牧师活着时他们还未曾出世,但他们却早已从他们的父母和祖辈处得知了他,也得知了叶师娘,因此这些年轻人觉得他们早就结识了叶家人。

宾至如归的感觉为我们的阖家团圆锦上添花。我们在朋友家中,在宾馆饭店到处受到热情的款待,我们重游了孩提时代的故地,如故居旧址,还有闻名世界的黄河和长城,少年时我们曾在这里流连忘返,尽情嬉戏。

然而最激动人心的还是为我们的父亲、祖父、高祖墓碑揭幕仪式。许多朋友来宾聚集在风景秀丽的墓地。庄严的墓碑高两米,宽一米,基座前有石台可拾阶而上。在揭幕典礼上,我们全家人齐声合唱颂主圣歌,我们叶永青的4个孩子分别讲了话,孙子辈的Finn Torjesen(叶福礼)也发了言。

当地的政协副主席杜清泉先生代表中国政府发表了讲话。在他热情洋溢的讲话中,杜先生对叶家人为河曲所做的一切表示了感谢。他指出,叶家人为河曲曾经付出过太多,比如当年我父亲就曾付出了他的生命!

我们禁不住热泪盈眶,这是告慰的泪水!回首往昔,面对今日,我们不由得为我们的父母对河曲做出的巨大牺牲而自豪,而骄傲。成功的故乡之行使我们觉得我们寻到了自己的根。我们深深地感到我们的父亲没有白死,他所追求的理想也从未被遗忘,河曲的人们至今缅怀着他为河曲作出的巨大贡献。这一切表明,在父亲逝世50年后的今天,他的精神之树依旧长青。"尽管他死了,他依然在诉说。"

河曲之行的高潮是我们叶家人应邀到河曲去帮助河曲的建设发展。特别是会说汉语的Finn(福礼)和他的妻子 Sandy（桑迪）第一个受到邀请去河曲开发合作项目。

　　复活之年，庆祝叶家第一代人与河曲同呼吸共命运50周年，也开拓了叶家历史的新纪元，叶永青的精神在他的后代子孙和家人中生根，开花，结果，并将为更好地造福桑梓——河曲开辟令人向往的远景。

附录一：

我与叶永青牧师

——读《叶牧师一家在中国》后的回忆

1932年我从山西洪洞神学院毕业，蒙神召唤来到晋西北河曲县基督教会作传福音的圣工，遂与叶永青牧师同工多年，因此对叶牧师印象很深。

读《叶牧师一家在中国》联想过去，叶牧师许多美好的见证、感人的事迹记忆犹新。

一、广传福音

叶牧师在中国主要的工作是要把耶稣救恩的福音传遍河曲各地。无论何时何地，只要有机会，便将信主得救和悔改的道理，讲给人们听。我和他同工，经常到河曲较大的村镇，作为据点支搭帐篷传道。每天除了在据点早晚接待来人谈道外，还要抓紧机会，再到周围三、四十里的村庄，甚至仅有几户人家的小村，也要为他们布道。所以河曲县700多个大小村镇都有我们传福音、报喜讯的佳音，山山水水都有叶牧师的足迹。叶牧师迫切爱主的心使他为福音的奔波，在河曲县的信徒中感受很深。

二、不畏艰险

叶牧师生活俭朴，平易近人，在乡村布道，和我毫不介意地住在极为简陋的车马人行店，而且一起睡在土炕上，假如不看他的肤色，简直不知他是一个外国人。一次夏天，我们在巡镇传道，叶牧师想到黄河对岸（段家寨）去传道（陕西省府谷县所辖）。这地方没有渡船，仅有牛皮筏子代船渡人，因水急危险较大，只能乘座两人，据说当地人如非不得已是决不冒险渡河。可是他为了传福音给段家寨的人，不顾撑筏人的劝阻，竟冒险渡河。返回后，许多人为我们捏一把冷汗。又有一次我和叶牧师、牛载道三人在偏关县布道，听人说黄河边有几户人家，与外村很少交往，在黄沙狂风扑面，天昏地暗的天气情况下，叶牧师竟然顶风步行三十多里去传道。诸如此类的事，对叶牧师来说，并非罕事，而是不胜枚举。

三、治病救人

晋西北山区在那时是贫苦落后，没有西医和诊所，人们患病——特别是传染病无法求医问药又无钱治病，只好束手待毙。叶牧师看到这种情况，由于主爱的激动，更是难过万分，心急如焚，叶师母特备良药为河曲教徒及不信教群众精心治病送药，并向群众宣传预防、隔离、避免传染病的常识。叶牧师夫妇的爱心在河曲全县产生了极大影响，所以在叶牧师被日寇飞机炸死的消息传开后，许多人都为之悲痛。

四、舍身取义

抗日战争爆发的那年，叶牧师怀念他的老家——山西河曲，他是挪威人，在日寇侵犯华北的紧要时刻，他离开挪威(度假)将妻子儿女安置在湖南益阳,他只身绕道内蒙包头返回河曲。他回河曲时,正值日军进犯河曲的前几天,当时汉奸和地方士绅为了讨日寇的欢喜以"维持会"的名义邀请叶牧师参加迎接日军的活动,被叶牧师断然拒绝。叶牧师对日军侵华的罪行,痛恨至极。我晋西北教会同工参加"基督教负伤将士服务协会西北分会"(设在西安)成立了"晋西分会"河曲是第四医疗队,专为抗日将士们做救死扶伤工作,晋西分会设在山西保德县红十字会医院。1939年冬日机轰炸河曲教会,保德县全城为之烧光,都与我教会全体传道人员一致抗日,遭到敌人的报复有关。所以当叶牧师追悼会之时,贺龙将军、关向应政委特派一位科长由兴县专程参加追悼会并慰问叶师母,真正体现了党的统一战线政策。

叶牧师与河曲信徒和人民同生死,共患难的高贵品质,是舍身取义的具体行为。他过早地离开我们,但他的身影却永留在我们的心中。

聂思聪

1994.元月

附录二：

叶永青牧师纪念碑碑文

　　牧师叶永青先生一八九二年生于挪威。幼年献身基督。稍长，向往东方，尤慕中国，以传福音于我国民间为己任。一九一九年，二十七岁，奉派来华，选定河曲为其教区。自是，举凡救灾、医疗、教育均有贡献，造福地方，深植友谊。素奉圣经金句"倚靠耶和华，以耶和华为可靠的，那人有福了。他必像树栽于水旁，在河边扎根，炎热来到，并不惧怕，叶子仍必青翠，在干旱之年，毫无挂虑，而且结果不止。""要往下扎根，向上结果。"为座右铭。故以永青二字为华名，先生毕生勤劳忠诚，宣示和平爱人之道不倦，力斥侵略战争。一九三七年日寇侵我，先生助我军民，反抗侵蚀；惜事机不密，为敌军探知。一九三九年十二月突以编队飞机俯冲轰炸教堂，先生殉焉。年四十七岁。先生酷爱中国，毕生为服务人民，抵抗日寇而死。缘立石于此瞭望河曲平原之地，以慰其灵，而垂永久。

一九九〇年八月十日

37

图书在版编目（CIP）数据

叶牧师一家在中国/（美）叶马利亚著;赵斌译.－北京:团结出版社,1994.7

ISBN 7－80061－594－4

Ⅰ.叶… Ⅱ.①叶… ②赵… Ⅲ.①叶永青－传记②叶永青－生平事迹 Ⅳ.K837.125.4

中国版本图书馆 CIP 数据核字（94）第 04446 号

团结出版社出版（北京东皇城根南街84号）

机械工业出版社京丰印刷厂印刷

新华书店北京发行所发行

1994 年 6 月（大 32 开）第一版 1999 年 9 月第三次印刷

字数：20 千字 印张：1.375 插页：8

印数：12001 - 22000

ISBN 7-80061-594-4/K·71

定价：10.50 元（平）